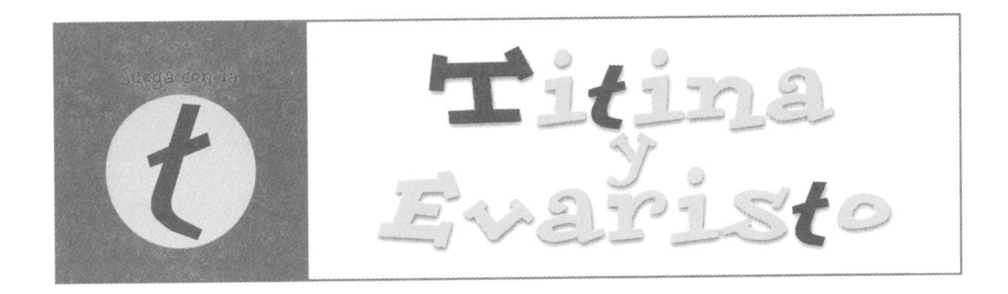

Dibujos
Tría 3:
Horacio Elena
Mabel Piérola
Francesc Rovira

Cuento
Beatriz Doumerc

La tortuga Titina busca al tortugo Evaristo.
Pero el tortugo no está...
¿Dónde se habrá metido?

Titina va a la tienda de la rata Tatiana
y el pato Torcuato.
Abre la puerta y suena una campanilla:
¡Tin, tin, tin...!
—¿Habéis visto al tortugo Evaristo?
—pregunta Titina.
—No, no lo hemos visto —contestan
la rata y el pato.

Pasito a pasito, Titina llega al parque.
El gato Toribio y el topo Timoteo
están jugando al escondite.
—¿Habéis visto al tortugo Evaristo?
—pregunta Titina.
—No, no lo hemos visto —contestan
el gato y el topo.

Titina está cansada de tanto caminar.
Pero sigue adelante.
Y en la plaza encuentra
un teatro de títeres.
—¿Habéis visto
al tortugo Evaristo?
—pregunta Titina.
—¡Sííií..., lo hemos visto!
¡Allí está! —contestan
los títeres.

Sí, Evaristo está allí sentado muy tranquilo.
Y grita:
—¡Titina, ven a ver los títeres!
¡Siéntate a mi lado!

Los títeres hacen un montón de cosas,
todas divertidas.
Titina y Evaristo
aplauden fuerte
con sus cuatro patas.

Cuando termina la función,
Titina y Evaristo hacen el camino
de vuelta a su casa.
Y, de pronto, viene una tormenta,
estallan tres truenos...
¡TRUUUN! ¡TRUUUN! ¡TRUUUN!
¡Qué temporal!

Por fin llegan a casa.
Titina tose y Evaristo estornuda.
¡Han cogido un constipado!
Pero están contentos
por la tarde tan divertida
que los dos juntos
han pasado.

JUEGA con la

- ¿Cómo se llaman la tortuga y el tortugo de este cuento?
- ¿Dónde encuentra Titina a Evaristo?
- ¿Has visto alguna vez un teatro de títeres? ¿Dónde?
¿Cómo se llamaban sus protagonistas?
- ¿Has tenido alguna vez una tortuga, o conoces a alguien que tenga una?
¿Sabes cómo se cuida una tortuga?

Objetivos:

Comprender lo que se lee.
Narrar experiencias de la vida cotidiana.

Las palabras ***tortuga*** y ***tortugo*** tienen la letra **t** dos veces en su nombre. ¡A ver si encuentras dos veces la letra **t** en cada una de estas palabras!

tarta   torta   tomate

tetera   tostada   patata

¿Te atreves a formar frases con estas palabras? Por ejemplo:

Si tú haces el té en la tetera
yo preparo la tarta y las tostadas.

Objetivos:

Reconocer la letra **t.**
Utilizar el lenguaje de forma creativa.

- Este cuento nos dice que la *tortug**a*** busca al *tortug**o***.

  ¿A quién buscaría la *pat**a***?

  ¿A quién buscaría la *gat**a***?

  ¿A quién buscaría el *mon**o***?

  ¿A quién buscaría el *niñ**o***?

- Y ahora, un poco más difícil:

  ¿A quién buscaría el *caballo*?

  ¿A quién buscaría la *vaca*?

  ¿A quién buscaría el *hombre*?

Objetivos:

Ampliar conocimientos.
Formar parejas: descubrir el masculino y el femenino.

Colorea las letras **t** minúscula y **T** mayúscula y luego recórtalas.

Así podrás ir formando tu propio ZOO DE LAS LETRAS con los cuentos de esta colección.

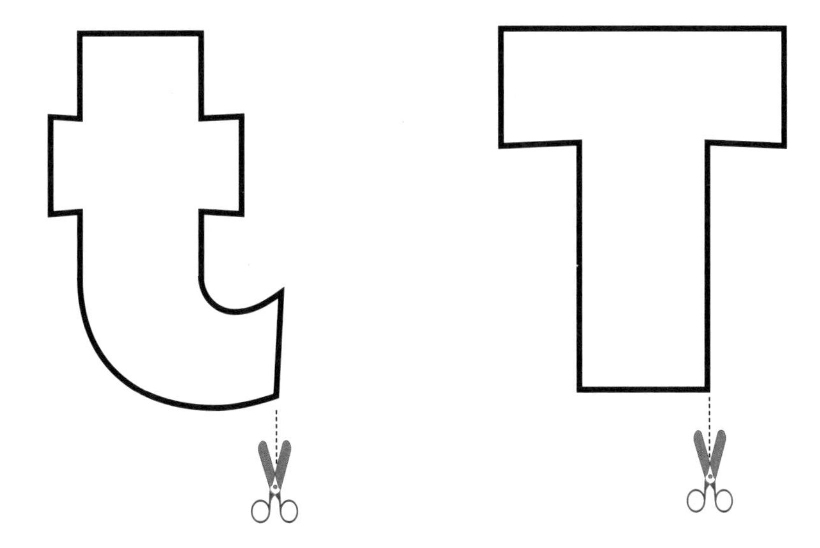

Objetivos:

Reconocer las letras **t, T.**
Ejercitar la coordinación visomanual.

colección
El zoo de las letras